Roméo
le rat
romantique

**Catalogage avant publication de
la Bibliothèque nationale du Canada**
Tremblay, Carole, 1959-
Roméo, le rat romantique
Pour enfants.
ISBN : 2-7625-8705-0 (version souple)
ISBN : 2-7625-8766-2 (version rigide)

I. Jolin, Dominique, 1964- . II. Titre.

PS8589.R394R65 1997 jC843'.54 C97-940402-9
PS9587.R394R65 1997
PZ23.T73Ro 1997

Directrice de collection : Lucie Papineau
Direction artistique : Dominique Payette
Conception graphique : Primeau & Barey

Dépôt légal : 3e trimestre 1997
Bibliothèque nationale du Québec
Bibliothèque nationale du Canada
Bibliothèque nationale de France

Dominique et compagnie
300, rue Arran, Saint-Lambert (Québec) J4R 1K5
Téléphone : (514) 875-0327
Télécopieur : (450) 672-5448
Courriel : dominiqueetcie@editionsheritage.com
Site Internet : www.dominiqueetcompagnie.com

Imprimé en Chine
10 9 8 7

Nous remercions le Conseil des Arts du Canada de l'aide
accordée à notre programme de publication.

Nous reconnaissons l'aide financière du gouvernement du
Canada par l'entremise du Programme d'aide au développement
de l'industrie de l'édition (PADIÉ) pour nos activités d'édition.

Nous reconnaissons l'aide financière du gouvernement du
Québec par l'entremise du Programme de crédit d'impôt pour
l'édition de livres – SODEC – et du Programme d'aide aux
entreprises du livre et de l'édition spécialisée.

À Victor
C.T.

À Stéfanie et Caroline
D.J.

Roméo
le rat
romantique

Texte : Carole Tremblay • Illustrations : Dominique Jolin

Roméo est un rat romantique. Il est amoureux fou de la jolie Juliette. Il l'a rencontrée un soir de pleine lune en haut de la montagne noire.

Depuis, le cœur de Roméo ne bat que pour elle. Mais le petit rat est tellement timide qu'il n'ose pas lui déclarer ses sentiments. Quand il voit Juliette, il bafouille des phrases incompréhensibles.

– Bonjoir... euh soir... il fait pot, hein ? Je veux dire beau, hein ?

Alors, il décide de lui faire un cadeau. Un beau gros cadeau qui exprimera tout son amour.

C'est ainsi qu'un bon matin, Roméo quitte le Village des Merveilles pour parcourir le vaste monde. Il part à la recherche d'un présent digne de sa Juliette.
Il marche toute la journée et toute la nuit. Sur son chemin, il voit un grand nombre d'objets, mais rien ne mérite d'être offert à sa bien-aimée.

Le lendemain matin, il arrive dans un grand parc. Des
écureuils courent ici et là. L'un d'eux mange une cacahuète.
– Des cacahuètes ! s'écrie Roméo. Quel joli présent cela
ferait pour ma Juliette ! Je dois trouver l'arbre à cacahuètes
tout de suite !

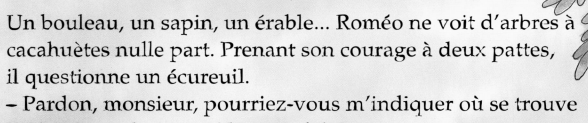

Un bouleau, un sapin, un érable... Roméo ne voit d'arbres à cacahuètes nulle part. Prenant son courage à deux pattes, il questionne un écureuil.

– Pardon, monsieur, pourriez-vous m'indiquer où se trouve l'arbre à cacahuètes, s'il vous plaît?

L'écureuil éclate de rire.

– Hé! les gars, le raton cherche l'arbre à cacahuètes!

Des rires surgissent de toutes les branches.

– Regarde! Il est là, ton arbre, ajoute l'écureuil entre deux éclats de rire.

Roméo se retourne et ouvre de grands yeux étonnés. Une petite
fille lance des cacahuètes à un écureuil qui se tient devant elle.
— C'est elle l'arbre à cacahuètes ! annonce l'écureuil. Si tu en veux,
va t'en chercher, comme les autres...
— Merci monsieur, vous êtes bien gentil, répond le rat romantique,
qui est aussi un rat très poli.

Roméo se cache derrière un arbre et observe les écureuils. Ça n'a pas l'air très compliqué... Il suffit d'avancer vers la petite fille, de s'asseoir, de relever les pattes de devant et d'attendre. Le petit rat décide de tenter sa chance.

Roméo trottine jusqu'à la fillette, plie ses courtes pattes et pose son derrière dans l'herbe. Mais la position n'est pas très confortable pour un rat et le voilà qui tombe à la renverse !

Des rires fusent dans les feuillages des grands arbres.

La petite fille regarde Roméo un instant, puis elle se met à crier :

– Maman ! Viens voir ! Il y a un écureuil très bizarre.

Pendant que la maman approche, Roméo tente à nouveau
de se tenir comme un écureuil. Il affiche son plus beau et son
plus charmant sourire.

Dès qu'elle l'aperçoit, la maman hurle
à pleins poumons :
– Un rat ! Au secours ! C'est un rat !
Roméo se relève, décontenancé.
La maman prend la petite fille dans ses
bras, sans quitter Roméo des yeux.
– Va-t'en, sale bête ! crie-t-elle. Va-t'en !
Piteux, Roméo court se cacher derrière
un arbre. Il a le cœur gros. Il pense
abandonner sa course à la cacahuète...

Mais le souvenir du sourire de Juliette lui redonne du courage. C'est alors que Roméo a une idée : il va se déguiser en écureuil ! Porté par son grand amour, le petit rat entre dans une buanderie. Un tour de laveuse pour le shampoing et un tour de sécheuse pour la mise en plis... Voilà Roméo qui ressort tout ébouriffé !

Avec un morceau de charbon, il se noircit les yeux. Cela lui donne un regard plus doux et plus mystérieux.

Il frise ensuite ses moustaches. Puis, il plie ses oreilles pour qu'elles paraissent plus petites.

La queue maintenant...
Il essaie d'en confectionnner
une avec des journaux
déchirés, mais le résultat
n'est pas terrible.

Avec des feuilles
et de l'herbe non plus.

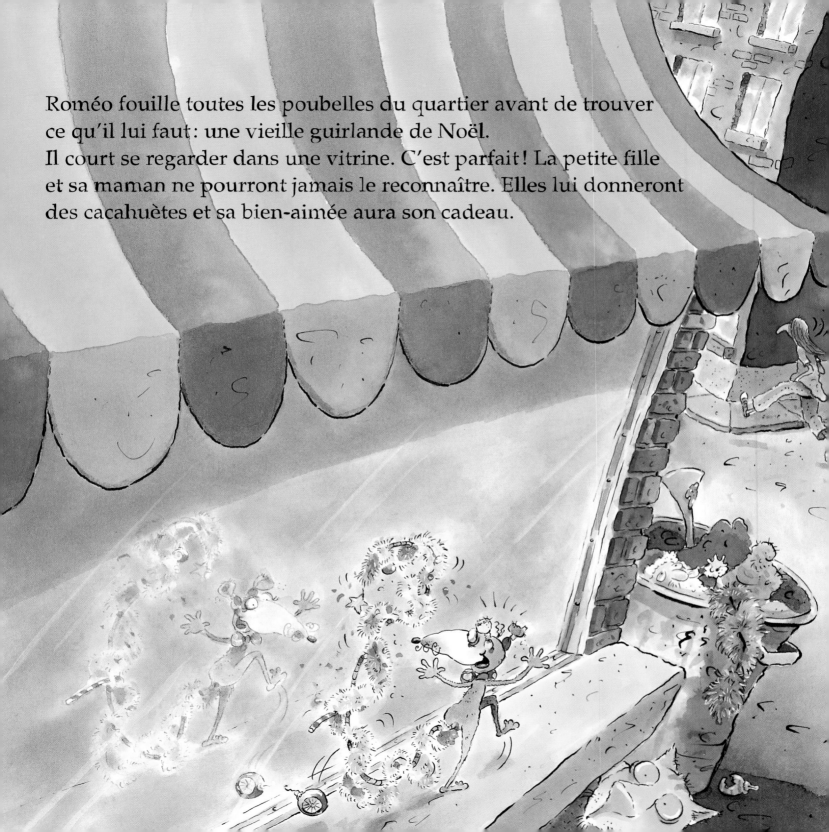

Roméo fouille toutes les poubelles du quartier avant de trouver ce qu'il lui faut: une vieille guirlande de Noël.
Il court se regarder dans une vitrine. C'est parfait! La petite fille et sa maman ne pourront jamais le reconnaître. Elles lui donneront des cacahuètes et sa bien-aimée aura son cadeau.

Le cœur joyeux, Roméo bondit jusqu'au parc. Pour faire
plus vrai, il décide de grimper à un arbre. Hélas, il n'est pas
aussi agile qu'un véritable écureuil... Oups! Il manque la
branche. Et paf! il s'écrase brutalement sur le sol.
Le choc est si terrible que Roméo croit que le nombril va
lui sortir par les yeux.

– Mais qu'est-ce que c'est que cette mascarade ? s'écrie Aristide,
le chef des écureuils.
Son ton est tellement menaçant que Roméo n'ose pas bouger.
Il reste étendu à plat ventre dans l'herbe, tout tremblant.
– Allez, réponds, le rat ! Que fais-tu dans notre parc, déguisé en
sapin de Noël ? Tu prépares une attaque ?

En trois bonds, Aristide est sur lui et le secoue comme une vieille chaussette.
– Allez ! Avoue !
– Oh ! non, monsieur l'écureuil, murmure Roméo. Je ne vous veux aucun mal. Je voulais simplement des cacahuètes pour Juliette, la rate de mes rêves.
– Des cacahuètes ? Pour quoi faire ? demande Aristide.
– Je voulais lui offrir un cadeau pour lui prouver mon amour, explique Roméo. Hélas ! Je n'ai pas réussi.

Et le pauvre petit rat se met à pleurer à chaudes larmes. Son
maquillage coule lentement le long de ses joues. Une de ses oreilles
se décolle. Il dégouline de partout.
Le chef des écureuils lui tapote doucement le museau.
– Allons ! allons ! Il ne faut pas pleurer pour ça... Tiens, je vais
t'en donner, moi, des cacahuètes. J'en ai plein à la maison. Comme
ça tu pourras les offrir à ta belle.

– Vous feriez ça pour moi ? demande Roméo, tout excité.
– Je ne le fais pas pour toi. Je le fais pour tous les amoureux
du monde ! clame Aristide. Depuis que j'ai rencontré Georgette,
je voudrais que le monde entier soit aussi heureux que moi !
– Merci monsieur ! Merci ! Oh ! Merci !
Dès qu'il a les cacahuètes, Roméo part en quatrième vitesse
pour le Village des Merveilles. Il fonce directement chez
Juliette.

Mais arrivé devant chez sa belle, le trac le gagne. Il n'ose pas frapper. Il est trop timide. Il reste là, le cœur battant, ses cacahuètes dans les pattes.

C'est alors que la porte s'ouvre. C'est Juliette qui sort faire des courses. Ses yeux de velours s'agrandissent sous le coup de la surprise.

Roméo, tout ému, lui tend son cadeau avec un sourire timide.

– Ju... c'est... je..., murmure-t-il.

– Au secours! Un horrible écureuil! hurle Juliette. Elle ramasse un bout de bois qui traîne par terre. Elle en menace Roméo.

– N'aie... n'aie pas peur, c'est moi, s'écrie le petit rat.

Juliette fronce les sourcils.

– Roméo ?

– Mais oui, je... c'est moi ! Regarde !

Juliette lâche son bout de bois. Roméo tend ses cacahuètes.

– Je t'ai cadeau un apporté... bafouille le pauvre amoureux.
Euh... Je veux dire... Je t'ai apporté un gradeau... Euh...

- Un gradeau mour poi ? cafouille Juliette à son tour.
Oh ! Poméo !

– Nuliette !

Cette nuit-là, sur la montagne noire, Roméo raconte à Juliette
tout ce qu'il a fait pour elle. Et Juliette, pour le remercier, lui donne
un doux, très doux baiser au goût de cacahuète.